W9-ALV-089

난 **토마토** 절대 안 먹어

국민서관

I will not ever never eat a tomato

Written and Illustrated by Lauren Child   Copyright © 2000 by Lauren Child All rights reserved.

Korean Translation Copyright © 2001 by Kookminbooks Co., Ltd.

Korean edition is published by arrangement with Orchard Books, a division of the

Watts Publishing Group Ltd. through Imprima Korea Agency.

이 책의 한국어판 저작권은 Imprima Korea Agency를 통해 Orchard Books, a division of the

Watts Publishing Group Ltd. 와의 독점 계약으로 국민서관 주식회사에 있습니다.

저작권법에 의해 한국 내에서 보호를 받는 저작물이므로 무단전재와 무단복제를 금합니다.

발행일/2001년 10월 5일 1판 1쇄 2003년 4월 7일 1판 8쇄 글 · 그림/로렌 차일드 옮긴이/조은수
펴낸이/이유숙 펴낸곳/국민서관 주식회사 기획/문정실 편집/정경원 · 김민지 디자인/권신혜 제작/강명훈
출판등록/1997년 8월 13일 제10-1479호 주소/(120-804) 서울시 마포구 공덕동 257-3
전화/710-7761~4 팩스 711-3951 www.kookminbooks.co.kr

© 2001 Kookminbooks Co., Ltd. ISBN 89-11-2000-1
값 8,500원 ※잘못된 책은 구입하신 서점에서 바꾸어 드립니다.

내게는 여동생 롤라가 있어요.

롤라는 쪼끄맣고 아주 웃기는 아이예요.

가끔은 눈을 떼지 말고 잘 지켜 봐야 해요.

이따금 엄마, 아빠가 나더러 롤라 밥을 차려 주라고 해요.

그건 꽤나 힘든 일이에요. 왜냐 하면 롤라는 말도 못하게 까다롭거든요.

롤라는 물론 **당근**을 안 먹어요.
당근은 토끼나 먹는 거라나요.

"그럼 **콩**은 어때?" 내가 물으면,

"콩은 너무 작고
온통 초록색투성이잖아."
라고 해요.
그래서 하루는 내가 좋은 꾀를 생각해 냈죠.

롤라는 밥상이 차려지기를 기다리고 있었어요.
그러더니 이렇게 말하는 거예요.

"난   콩하고   당근하고   감자하고

버섯하고   스파게티하고

달걀하고

소시지는

안 먹어."

"난 **꽃양배추**하고 **양배추**하고 **콩요리**하고

바나나하고 **오렌지**도

안 먹어.

그리고 난 **사과**하고 **밥**하고 **치즈**하고

생선튀김은

싫어.

그리고
난 무슨 일이 있어도
토마토 절대 안 먹어." (내 동생은 토마토를 아주 싫어해요.)

그래서 내가 말했죠.

"그것 참 잘됐네.

마침 우리 집에는 그런 거 하나도 없거든.

오늘 요리는 콩도 당근도 감자도
버섯도 스파게티도 달걀도 소시지도 아니야.

꽃양배추도 콩요리도
바나나도 오렌지도 아닌걸.

사과도 밥도 치즈도 생선튀김도
하나도 없어.

게다가 **토마토**는 절대로 없지."

롤라가 식탁을 바라보더니

"그런데 오빠, 왜 여기 당근이 있어?

"난

당근

절대로

안

먹는데."

그래서 내가 말했죠.
　"오, 넌 이게 **당근**인 줄 알았구나.
이건 **당근**이 아니야.
이건 목성에서 나는 **오렌지뽕가지뽕**이라고."

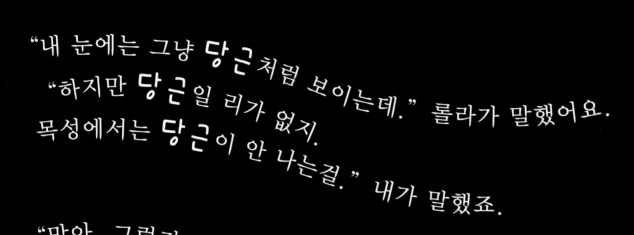

"내 눈에는 그냥 **당근**처럼 보이는데." 롤라가 말했어요.
　"하지만 **당근**일 리가 없지.
목성에서는 **당근**이 안 나는걸." 내가 말했죠.

"맞아, 그렇지.
　음, 그럼 목성에서 따 온 거니까 딱 한 입만 먹어 볼까.
　얌냠냠. 맛이 괜찮은데."
롤라가 그러더니 한 입 더 베어 먹었어요.

그 다음에 롤라가 콩을 보더니

말했어요.

"난 콩 안 먹어."

"이건 콩이 아니야. 당연히 아니고말고.

이건 초록 나라에서 나는

초록방울이야.

초록빛이 뭉쳐서 생긴 건데

빗방울처럼 하늘에서 떨어진다고."

내가 말했어요.

"하지만

난 초록빛 나는 건 안 먹어."

롤라가 말했지요.

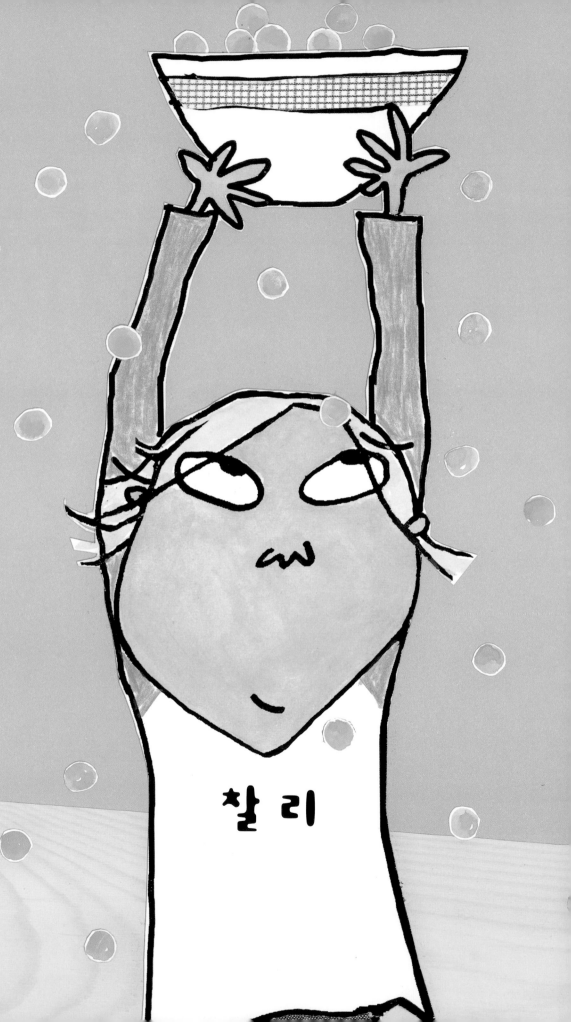

"그것 참 고마운데.

내가

네 몫까지

먹을게.

초록방울은

아주

귀하거든."

내가 말했어요.

찰리

"그렇다면

뭐

한두 방울만

먹어 볼까.

으음,

이거

꽤나 맛있는데."

롤라가 말했지요.

그 다음에 롤라는 **감자**를 흘깃 보았어요.
"난 **감자** 안 먹을 거야.
으깬 것도 싫으니까,
아예 꿈도 꾸지 마."

"아하,
이건
으깬 감자가 아냐.
보통 다들 그렇게 착각하는데,
사실은 아니라고. 이건 바로 백두산의
제일 높은 봉우리에 걸려 있던 **구름보푸라기**야."
"그래? 그럼, 한가득 떠 줘.
난 구름 먹는 건 아주 좋아하니까."

"오빠!"

롤라가 말했어요.

"저거 **생선튀김** 같은데.

난 말야,

생선튀김은 절대 안 먹어."

"물론 그건 나도 알지. 하지만 이건 **생선튀김**이 아닌걸
이건 바로 바다 밑 수퍼마켓에서 사 온 **바다얌냠이**야.
인어들이 즐겨 먹는 음식이지."

"알아, 나도 엄마랑 딱 한 번
바다 밑 수퍼마켓에 가 본 적 있어.
그래, 나도 **바다얌냠이** 알아.
전에도 먹어 본 적이 있는 거 같은데."
롤라가 말하면서 냘름 먹었어요.
"오빠, 이거 더 없어?"

그 다음에 롤라가 말했어요.

"오빠,
저거 좀 몇 개 줄래?"

그래서 내가 말했죠.

"뭐, 저거 말야?"

그러자 롤라가 말했어요.

"그럼 물론이지. **달치익쏴아**는 내가 제일 좋아하는 건데."

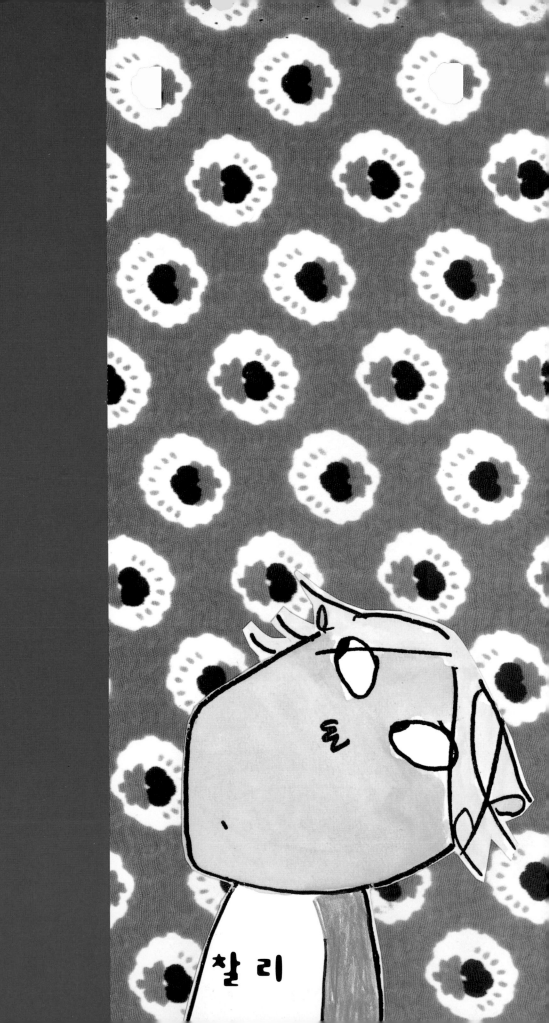

찰 리

"혹시 이걸

토마토로 안 건 아니겠지?

그치, 오빠?"

영국에서 태어난 이 책의 저자 **로렌 차일드**는 아이와 어른의 사이에서 웃음을 자아내는 소재를 찾아 내어 재미있는 이야기로 만듭니다. 로렌 차일드의 독특하고 기발한 그림책들은 나오자마자 많은 어린이들에게 사랑을 받았으며, 상도 두 번 받았습니다. 특히 음식의 놀라운 세계를 그려 낸 〈난 토마토 절대 안 먹어〉는 영국 도서관 연합회에서 가장 뛰어난 어린이 그림책에 시상하는 2000년 케이트 그린어웨이 (Kate Greenaway) 상을 받았습니다. 다른 작품으로는 〈사자가 좋아!〉, 1999년 스마티즈 북 (Smarties Book) 동상을 받은 〈내 이름은 클라리스〉 등이 있습니다.

이 책을 번역한 **조은수** 선생님은 1965년 서울에서 태어나, 연세 대학교에서 교육학을 공부하고, 같은 대학원에서 국문학을 공부했습니다. 그 뒤로 어린이 책의 글을 쓰고, 그림을 그리고, 번역하는 일을 하고 있습니다. 지은 책에는 〈말하는 나무〉, 〈옛날 사람들은 어떻게 살았을까〉가 있고, 번역한 책으로는 〈슈렉〉, 〈아기 늑대 삼 형제〉, 〈꼬마 거북 프랭클린〉 등이 있습니다.